Conwy drwy'r Pedwar Tymor

Conwy through the Seasons

Conwy drwy'r Pedwar Tymor

Conwy through the Seasons

Elizabeth Myfanwy Clough

Testun Cymraeg: Owain Maredudd

Elizabeth Myfanwy Clough

ISBN: 1-84527-001-0

Cynllunydd/Designer: Hefina Pritchard

Cyhoeddwyd yn 2005 gan/First published in 2005 by

Gwasg Carreg Gwalch, 12 Iard yr Orsaf, Llanrwst, Wales LL26 0EH
Tel: 01492 642031   Fax: 01492 641502
e-mail: books@carreg-gwalch.co.uk   website: www.carreg-gwalch.co.uk

Er cof am fy rhieni
Arthur a Margarette Bennett,
am eu hanogaeth gyson i'm gwaith.

In memory of my parents,
Arthur and Margarette Bennett,
who always encouraged my art.

Rhagair

Mae Conwy'n dref farchnad fywiog gyda'i gwreiddiau'n ddwfn yn y gorffennol. Cyflwynodd Llywelyn Fawr siarter i fyneich Aberconwy yn 1198 gan sefydlu'r Abaty a'r dref yno. Yn ddiweddarach, meddiannodd y Normaniaid y safle gan godi'r cestyll a'r waliau rhwng 1283-87 i ddiogelu eu troedle ar lan orllewinol afon Conwy. Gwanychodd grym y coloneiddiwyr ond goroesodd y gwaith maen a heddiw mae Conwy yn un o'r trefi caerog mwyaf nodedig yn Ewrop. Cadarnhawyd ei harwyddocâd rhyngwladol pan ddynodwyd y dref yn Safle Treftadaeth Byd.

Ar ddechrau'r trydydd mileniwm, teimlwyd y byddai cofnod darluniadol o'r dref yn dal ysbryd a natur bywyd yma. Yr ysbrydoliaeth i hyn yw cyfrol *Carmarthen (1893-1937), Portrait of a Town* gan D.A. Lewis – cyfres o ddyfrliwiau a grëwyd ar ddechrau'r ugeinfed ganrif.

Mae'r gyfrol hon yn edrych ar Gonwy drwy lygad artist lleol, yn adlewyrchu'r digwyddiadau, cymeriadau, adeiladau a byd natur drwy'r pedwar tymor. Hyfforddwyd Elizabeth Myfanwy fel athrawes gynradd yn Hwlffordd gan astudio celf fel ei phrif faes. Mae'i gwaith i'w gweld ar draws y byd erbyn heddiw. Mae'n briod gyda dau o blant ac yn byw yng Nghonwy ers 1998. Daeth rhai o'i theulu o sir Gaerfyrddin gan ymsefydlu yn Nyffryn Conwy 150 o flynyddoedd yn ôl.

Foreword

Conwy is a dynamic town and has seen many changes over the years. Llywelyn the Great granted the monks of Aberconwy a charter in 1198. This marks the formal recognition of the Abbey and the beginning of Conwy town. Later it became a Norman stronghold. The castle and walls were built between 1283 and 1287 by Edward I. The colonial drive ebbed and Conwy became a thriving Welsh port and market town but it is still one of the finest examples in Europe of a walled town, and its international significance has made it a World Heritage Site.

At the beginning of the third Millenium, it was felt that a pictorial record of the town would capture a snap-shot of life here. It's inspiration being *Carmarthen (1893-1937) Portrait of a Town* by D. A. Lewis – a series of water-colour studies painted in the early twentieth century.

This book looks at the town of Conwy through the eyes of a local artist, reflecting the events, characters, buildings, and nature through the seasons.

Elizabeth Myfanwy trained as a primary school teacher in Hereford and studied art as her main subject. Her work today is to be found across the world. She is married with two children, and has lived in Conwy since 1998. Members of her family came from Carmarthenshire and settled in Dyffryn Conwy 150 years ago.

Cydnabyddiaeth

Dymuna'r awdur ddiolch i'r canlynol am eu cefnogaeth a'u cymorth wrth gywain y gyfrol hon ynghyd: ei gŵr, Paul, ac aelodau'r teulu; Margaret Williams; Priscilla Hodgson, ac aelodau'r gwahanol ddigwyddiadau a gwyliau a gynhelir yng Nghonwy.

Acknowledgments

The author would like to thank the following people for their support and help in compiling this book: husband Paul and family members, Margaret Williams, Priscilla Hodgson, and members of the various events and festivals in and around Conwy.

Gwanwyn
Spring

Blodau eirinen
Prunus blossom

9

Elizabeth Myfanwy Clough

Arwyddion o'r gwanwyn
yn cyrraedd Conwy

*Signs of spring around
Conwy*

Briallu
Primroses

Defaid ac ŵyn
Sheep with lambs

10

Crëyr glas – yn disgwyl am damaid
Heron – waiting for a meal

Gwartheg.
Edrych tua Bryn Pydew a'r obelisg o
Fryn Iocyn.
Cattle.
View towards Bryn Pydew and obelisk
from Bryn Iocyn.

Tresi aur ger Tŷ'r Felin, y Gyffin.
Afon Gyffin oedd y ffin rhwng trefedigaeth Seisnig
Edward I a'r wlad Gymreig. Safai un o ddwy felin y dref
yma. Roedd y felin wreiddiol ar safle'r siop sglodion (ar y
dde) ac mae Tŷ'r Felin rhwng y siop ac Afon Gyffin.

Laburnum Tree outside the Old Mill House, Gyffin.
Afon Gyffin is Edward I's boundary between his English
colony of Conwy and the Welsh hinterland. Here stood one
of the town's two mills. The original cornmill was on the site
of the chip shop (seen on the right). The old mill house is
between the shop and Afon Gyffin.

Cennin Pedr
Daffodils

Cwrlid o glychau'r gog dan goed y gwanwyn yng Nghonwy.
Bluebells deck the woods in spring around Conwy.

Paratoi at y tymor newydd
Preparing for the season

Twristiaeth yw'r diwydiant pwysicaf yng Nghonwy heddiw ac yn y gwanwyn y gweir llawer o'r gwaith adfer a pharatoi.
Tourism is the largest industry in Conwy and spring is the time when much preparation and repair work is done.

Giât doll – adeiladwyd gan Telford yn 1826 (yn y cefndir, pont reilffordd Robert Stephenson, 1848).
Toll gate – built by Telford in 1826 (in the distance is Robert Stephenson's tubular railway bridge of 1848).

Y Tŷ Lleiaf ym Mhrydain yn cael tipyn o golur.
The Smallest House in Britain has a facelift.

Ffair Hadau: 2003 (heulog)
Seed Fair: 2003 (sunny)

Mae hon yn un o'r ddwy ffair hynafol sydd wedi goroesi. Dechreuwyd ei chynnal bob 26ain Mawrth dros 800 mlynedd yn ôl pan ganiataodd Edward I i'r Cymry ddod i fasnachu i'r dref am un diwrnod bob wythnos – chwarae teg iddo! Erbyn heddiw, boed law boed hindda, daw pobol o bob cwr o ogledd Cymru iddi i brynu hadau, planhigion, hen bethau a chrefftau.

One of two ancient fairs still remaining, it began life over 800 years ago, when Edward I granted the Welsh permission to trade within the town walls on one day each week – fair play to him! These days, whether sunny or raining, people come from all over northern Wales and beyond to buy seeds, plants, antiques and crafts every 26th March.

Stondin flodau
Flower stall

15

Stondin flodau y tu allan i'r Hen Blasty ar y Stryd Fawr.
Flower stall outside Ye Olde Mansion House in the High Street.

Ffair Hadau 2004 (gwlyb)
Seed Fair: 2004 (wet)

Cerdded dan yr ymbarél.
The umbrella ladies.

Stondinau ar Sgwâr y Farchnad.
Stalls in Lancaster Square. The square was the original market place.

Hen greiriau
Antiques

Cardiau a phrintiadau y tu allan i Blas Mawr
Cards and prints stall outside Plas Mawr

Sgwrs yn y glaw
Chatting in the rain

18

Mynwent y llongau.
Ship's graveyard.

Yr hen waith trin cregyn gleision: cwt cychod bellach.
Old mussel plant, now mooring sheds.

Pen Sarn

Yng nghesail waliau'r castell, datblygodd treflan yr ochr draw i'r sarn a arweiniai o'r castell i ddyffryn Gyffin.
Tucked under the shelter of the castle walls, Pen Sarn took advantage of the causeway leading into the Gyffin valley.

Aber Gyffin – yng nghysgod muriau de-ddwyreiniol y castell.
Aber Gyffin – in the shelter of the south-east walls of the castle.

Swyddfa'r Harbwr a chwt y Bad Achub
Harbour Office and lifeboat station

Cei Conwy
Conwy Quay

Dyma galon bywyd yr afon a'r arfordir. Yma mae'r harbwrfeistr yn cadw golwg ar y cychod pleser a'r cychod gwaith yn yr aber. Mae'r bad achub bob amser yn barod i ymateb i alwadau am gymorth. Mae'r gwaith trin cregyn yn cynnal diwydiant sy'n dyddio'n ôl i gyfnod y Rhufeiniaid o leiaf. Mae cregyn gleision Conwy bellach yn cyrraedd tai bwyta ar draws Ewrop.
This is the heart of the working life of the river and coast. Here the harbour master looks out over the yachts and working boats of the estuary. The lifeboat station with it's inshore lifeboat is always ready to respond to cries for help. The mussel plant continues an industry that goes back to Roman times at least. Conwy mussels now reach restaurants and shops across Europe.

Tua'r castell o Ben Sarn
Towards the castle from Pen Sarn.

Amser glanhau
Cleaning time

Ar drai
Low tide

Penllanw
High tide

22

Yr hen siop gychod ar y Cei.
The old boat shop, on the Quay.

Gwylanod yn gorffwys ar hen gwch yn yr harbwr.
Seagulls resting on an old boat in the harbour.

Cerdded y Strydoedd
Street Scenes

Mae waliau tref Conwy ar lun telyn gyda dau dŵr ar hugain a thri phorth gwreiddiol. Mae'r castell yn gwarchod yr aber. O fewn y muriau mae Tŷ Aberconwy, tŷ masnachwr canoloesol o'r 15fed ganrif, bellach yng ngofal yr Ymddiriedolaeth Genedlaethol. Mae Plas Mawr, tŷ tref teulu'r Wynniaid a godwyd yn 1577, dan ofal Cadw ac eglwys y plwyf hefyd ymysg yr hynaf o ddau gant o adeiladau hanesyddol cofrestredig y dref.

Conwy town walls are set out in the shape of a Welsh harp with twenty-two towers and three original gateways. The castle dominates the river crossing. Within the walls is Aberconwy House, a 15th. century medieval merchant's house, now in the care of the National Trust. Plas Mawr, an Elizabethan town house built for the Wynn family in 1577, under the care of CADW, and the parish church are amongst the oldest of the town's two hundred registered historic buildings.

Sgwâr y Farchnad – rhoi'r byd yn ei le dan lygad Llywelyn.
Lancaster Square – chatting under Llywelyn's statue.

Ymwelwyr ar y sgwâr.
Tourists in the square.

Edrych i lawr o Stryd y Capel at Stryd y Claddu a'r afon.
From Chapel Street looking towards Berry Street and the river.

Y tu allan i Westy'r Castell.
Car Singer 1934 fu'n rasio yn Le Mans.
Outside the Castle Hotel,
1934 Singer motor which raced at Le Mans.

Edmygu'r lelog a'r tresi aur yn
Stryd Bryn Rhosyn.
*Admiring the lilac and laburnum
in Rosehill Street.*

Galwad cynnar y post yn Stryd Llywelyn.
Early morning postman in Llywelyn Street.

Siop Ieuan Edwards, y cigydd enwog.
Edward's, the award-winning butchers.

Tŷ Aberconwy.
Y tŷ hynaf yng Nghonwy.
Aberconwy House.
The oldest house in Conwy.

Plas Mawr gyda'r Hen Blasty ar y chwith. Adeiladwyd y plasty llai ar gyfer teulu'r Wynniaid tra oeddent yn disgwyl i Blas Mawr gael ei orffen.
Plas Mawr, with Ye Olde Mansion House to the left. The smaller house was built for the Wynn family while they waited for Plas Mawr to be completed.

27

Y Post newydd – Ffordd Bangor.
The new Post Office – Bangor Road.

Y Stryd Fawr
High Street

Tŷ tref, Stryd Bryn Rhosyn.
Yn niwedd yr Oesoedd Canol roedd gerddi'r dref a'r tir agored yn llawn o flodau, perlysiau a choed ffrwythau. Mae enwau strydoedd Bryn Rhosyn a Lôn Rhosmari yn dal i gofnodi'r cyfnod hwnnw.
Town house, Rosehill Street.
In Elizabethan days the town gardens and open spaces were full of flowers, herbs and fruit trees. Two of the streets, Rosehill and Rosemary Lane, indicate the essence of that time.

28

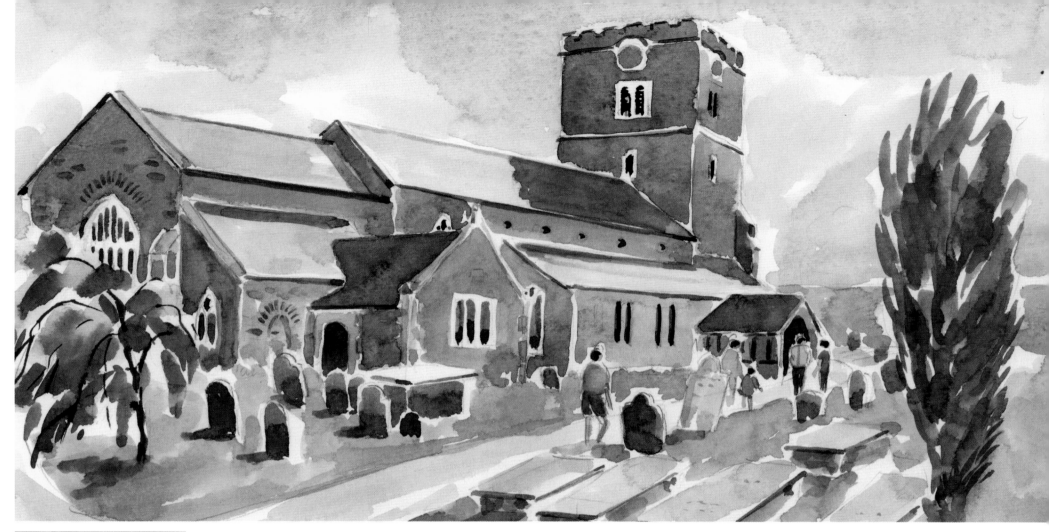

Eglwys y Santes Fair a'r Holl Saint – eglwys y plwyf a adeiladwyd ar safle Abaty Aberconwy. Roedd myneich Sistersaidd yn byw yn yr abaty o 1186-1283 pan heliwyd hwy oddi yno gan Edward I i Faenan, Dyffryn Conwy. Mae rhai o hen feini'r abaty i'w gweld yng ngwaelod twr presennol yr eglwys.

The parish church of St Mary's and All Saints – built on the site of the Aberconwy Abbey. Cistercian monks lived in the abbey from 1186 until 1283 when Edward I uprooted them to Maenan in Dyffryn Conwy. Some of the old abbey stones are seen at the base of the present church tower.

29

Y Llew Du, 1589, rheithordy ar un cyfnod ac yna tafarn coets fawr ger safle'r farchnad foch a gynhelid bob dydd Llun. Bu'n wag ers rhai blynyddoedd ond mae'r gwaith o'i adfer bellach ar droed.

The Black Lion, 1589, is a former vicarage later used as a coaching inn, and near the site of the Monday pig market. Derelict for some years, restoration work has now begun.

Yr Hen Goleg, y credir bod ei sylfeini'n perthyn i'r hen abaty. Sefydlwyd coleg yma gan Edward I. Mae olion o'r tŷ canoloesol oedd yma i'w gweld o hyd.

Ye Olde College, believed to have its foundations in the old abbey. It was established as a college by Edward I. Traces of the Elizabethan town house are still visible.

OFFICES

yr
hen Goleg
or
ye
Old College

Craft Cymru

Dod â'r hanes yn fyw
Re-enactment

Porth y Felin – yn yr Oesoedd Canol roedd yr adwy hon yn arwain at y felin heli. Llwybr cerddwyr sy'n mynd trwyddo heddiw ac fe'i defnyddir hefyd gan actorion sy'n ail-greu hanes ar y daith fer o'r gwersyll i'r castell lle cynhelir nifer o weithgareddau bob blwyddyn.

Porth y Felin (The mill gate) – in the Middle Ages this archway led down to a salt water mill. Today it is a pedestrian walkway and also used by re-enactment groups taking a short walk from their camp to the castle where various activities are held through the year.

Plant yn chwarae gemau o'r Oesoedd Canol
Children's medieval games

Coginio uwch tân agored.
Cooking over an open fire.

Nyddu a gwehyddu â llaw.
Hand spinning and weaving.

Gwersyll canoloesol y tu allan i'r castell.
Medieval encampment outside the castle.

33

Peter y Pibydd: bydd i'w weld yn aml yn canu pibau'r Hen Ogledd ger muriau'r dref.
Peter Piper: often seen playing Northumberland half long bagpipes by the castle walls.

Marchnad Dydd Mawrth
Tuesday Market

David Price, Cloch y Dref, yn disgwyl am ymwelwyr i'w tywys i'r farchnad fel y bydd yn ei wneud bob dydd Mawrth yn yr haf.
David Price the Town Crier waits every Tuesday in the summer to guide visitors to the market.

Stondin lysiau
Vegetable stall

Mae planhigion, ffrwythau, llysiau a nwyddau amrywiol ar werth ym maes parcio'r orsaf bob marchnad dydd Mawrth.
Plants, fruit, vegetables and other various goods are sold in the station car-park at the Tuesday market.

Stondinau
Stalls

Ymwelwyr yn y farchnad
Tourists in the market

37

Touau Phlas Mawr, Eglwys y Santes Fair a'r castell.
Towards Plas Mawr, St Mary's church and the castle.

Touau Conwy
Roof scenes

Golygfa hardd ac amrywiol yw hi wrth edrych dros ben y tonau o furiau'r dref – mae lliwiau, natur a siapiau yn croesi'i gilydd i greu patrwm brith blith-draphlith.
Looking at Conwy from the town walls or the hills around, one is impressed by the variety of roofs. Colour, texture and shape mix together to make for a fascinating study.

Tai lliwgar yn Rhes Niwbwrch.
Dyma un o nifer o strydoedd bychain ger muriau'r dref.
Colourful houses along Newboro Terrace.
This is one of the many small streets next to the castle walls.

Yr olygfa o Goed Benarth tua'r dref gyda Bodlondeb a deufryn y Faerdref yn Neganwy yn y pellter.
View from Coed Benarth towards the town and beyond to Bodlondeb and the Vardre.

Edrych ar Eglwys y Santes Fair a Phlas Mawr o furiau'r dref.
Looking at St Mary's Church and Plas Mawr from the town walls.

Tua'r castell o Stryd y Porth Uchaf.
Towards the castle from Upper-gate Street.

Bwâu/Arches

Yn wreiddiol, dim ond tri bwa oedd ym muriau'r dref. Ychwanegwyd rhai eraill yn ddiweddarach er hwylustod i drafnidiaeth a cherddwyr.

Originally there were only three arches in the town walls. Others have been added over the centuries for the convenience of both traffic and pedestrians.

Bwa Ffordd Bangor.
Yn y 19eg ganrif, bylchodd Thomas Telford un o'r tyrau gwreiddiol ar gyfer y ffordd newydd.
Bangor Road arch.
In the 19th century Thomas Telford breached one of the original wall-towers for the new road.

Porth y Sarn. Dyma'r agoriad ar gyfer Pen Sarn a'r Gyffin.
Porth y Sarn. This is the gateway to Pen Sarn and Gyffin.

Porth Uchaf.
Yn wreiddiol, hon oedd yr unig fynedfa o'r wlad i'r dref.
Porth Uchaf *(Upper Gate Street Arch)*
This was originally the only entrance from the country into the town.

43

Porth Isaf. Mae'r adwy hon yn cysylltu'r cei a'r dref ac yn un o'r tri phorth gwreiddiol. Mae tafarn y Liverpool Arms wedi bod yn ail gartref i bysgotwyr, pobl y dref ac ymwelwyr ers sawl blwyddyn. Mae'r lanfa o'i blaen yn cael ei defnyddio yn gyson gan gychod hwylio a physgotwyr crancod.

Porth Isaf (Lower Gate Arch). This entrance leads from the harbour to the town, and is one of the three original arches.

The Liverpool Arms tavern has been a favourite haunt of fishermen, townsfolk and visitors for many a year.

The jetty in front is in constant use by yachtsmen and for crab fishing.

Porth y Felin, y bwa i'r pentreflan a dyfodd o gwmpas y Felinheli. Mae deuddeg tŷ bach canoloesol i'w gweld yn bochio o furiau'r dref i'r chwith o'r porth.
Porth y Felin *(Mill Gate), the arch to the village salt-water mill was known as Y Felinheli. The picture shows the twelve medieval latrine shoots on the left.*

Bwa ochr yn arwain at faes y castell o'r dref.
A side arch leading to the castle green and the town.

Bwa cilborth – y Porth Bach.
Postern arch – Porth Bach.

Bwa Stryd y Claddu.
Adeiladwyd y bwa hwn yn yr 20fed ganrif gan y diwydiannwr a'r maer Albert Wood, Bodlondeb. Fe'i lluniwyd yn ddigon llydan i'w gerbydau.
Berry Street arch.
This arch was built in the 20th century by industrialist and mayor Albert Wood of Bodlondeb. It was constructed wide enough for his carriages to pass through.

Porth yr Aden *(Wing gate arch).*
Bwa ochr bychan yn arwain i Stryd y Porth Isaf.
A small side arch leading to Lower Gate Street.

47

Twnnel rheilffordd Bangor.
Adeiladwyd y rheilffordd, sy'n dod yn syth
drwy'r dref a thrwy dwnnel rheilffordd
Conwy, gan Robert Stephenson ac fe'i
hagorwyd ar Ddydd Gŵyl Dewi, 1845.
Bangor railway tunnel.
The railway coming right into the town and
out again through the Conwy railway tunnel
was built by Robert Stephenson and
opened on St. David's Day 1845.

48

O'r gorwel pell
Distant scenes

Castell Conwy, o Fynydd y Dre
Conwy castle, from the mountain.

Morfa Conwy o'r Faerdref, Deganwy.
Conwy Morfa, from the Vardre, Deganwy.

Tua'r mynyddoedd
Towards the mountains

50

51

Haf
Summer

54

Yr ymwelwyr yn cyrraedd
The tourists arrive

Gan fod Conwy yn Safle Treftadaeth Byd gyda chymeriad hudolus iddi, mae ymwelwyr yn galw yma o bob cwr o'r byd – ond daw'r rhan fwyaf ohonynt yn ystod yr haf.
As Conwy is a World Heritage Site with a magnificent Castle, visitors come from all over the world, mostly during the summer months.

Mae'r tŷ lleiaf ym Mhrydain ar y cei. Fe'i adeiladwyd yn yr 16eg ganrif i lenwi bwlch rhwng dau dŷ arall. Pysgotwr lleol – Robert Jones – oedd yr olaf i fyw yno. Roedd yn horwth mawr 1.9m (6'3") o daldra a bu'n byw yno am 15 mlynedd hyd 1900.
On the quay is the smallest house in Britain. It was built in the 16th century as a fill-in between the houses on either side. The last person to live in the house was Robert Jones, a fisherman. He was 1.9m tall (6' 3") and lived there for 15 years until 1900.

56

Castell Conwy
Conwy castle

Y Toll-dy ger pont grog Telford – y ffordd
newydd i Gonwy yn 1826.
Toll Gate House, next to Telford's suspension
bridge of 1826. Gateway to Conwy.

Gwisg Gymreig
Welsh lady

Y Cei
The Quay

Mae'r hen Gei bob amser yn fwrlwm o fywyd a thrwy'r haf bydd yn llawn o brysurdeb pysgotwyr, creincwyr, tripwyr cychod a hyd yn oed adeiladwyr cestyll tywod. Un o bleserau'r haf yng Nghonwy yw peint ar y Cei o flaen y Liverpool Arms gyda hufen iâ i'r plant.

The old quay has always been a centre of activity and through the summer it is especially busy with fishing, crabbing, boat trips, even building sand-castles.
One of Conwy's summer pleasures is a drink on the quay outside the Liverpool Arms with an ice-cream for the children.

Cwt hufen iâ Parisella
Parisella's ice-cream kiosk

Creinca
Crabbing

Cestyll tywod ger y cychod pysgota
Sand-castles, by the fishing boats

59

Sgota ar y lanfa. Gweithgaredd boblogaidd yn yr haf.
Jetty fishing. A popular summer activity.

Y tu allan i'r Liverpool Arms. Enwyd y dafarn gan un o'i
chynberchenogion – capten stemar a hwyliai'n gyson
rhwng Lerpwl a Chonwy ac ef a ddaeth â rhai o'r
ymwelwyr cynharaf i'r dref.
Outside the Liverpool Arms, which was named by one of its
original owners, a sea captain who sailed between Liverpool
and Conwy and brought some of the first tourists to the town.

Pwyso ar y bar yn y Liverpool Arms.
Liverpool Arms – around the bar.

Cornel glyd yn y Liverpool Arms.
Liverpool Arms – in the snug.

Blodau ar y Cei. (Dyfyniad gan ymwelydd wrth basio: 'Os na faswn i wedi dy weld ti'n peintio, 'faswn i ddim wedi sylwi ar y blodau hyfryd yma!')
Flowers on the quay (Quote from a tourist: "If I hadn't seen you painting I would have missed these beautiful flowers!")

61

Gwawr y bore, yn yr haf
Summer sunrise

Gofalu am y cychod
Mending the boats

Bydd yr hwylwyr i'w gweld yn aml yn trwsio'u cychod wrth y Cei.
Owners are often seen repairing their boats by the Quay.

Hen gwch achub – yr Edward Welbeck – wrth angor yn yr harbwr. Fe'i adeiladwyd yn 1896,
roedd criw o 15 arno ac achubwyd 92 o fywydau ganddo.
*Edward Welbeck, a retired RNLI gaff rigged ketch, moored in the harbour, was built in 1896 and
had a crew of 15. It rescued 92 lives.*

Y Cei o'r pontŵn. Bydd y safle'n diflannu'n fuan gan fod cynlluniau ar droed i ailddatblygu'r Cei.
Quay from the pontoon. A site soon to be gone as plans unfold for re-development of the Quay.

Cwch gludo ymwelwyr ar daith ar yr afon.
Queen Victoria (Sightseeing cruises)

Y fynedfa i'r castell
Entrance to the castle

Ffordd Bangor, gan edrych at orsaf Conwy a'r Ganolfan Ymwelwyr.
Bangor Road looking towards Conwy station and the Visitor Centre.

O Gwmpas y Dref
Around Town

Sgwâr y Farchnad
Lancaster Square

Lôn y Goron gyda Phlas Mawr ac oriel gelf y Cambrian ar y dde.
Crown Lane with Plas Mawr and the Royal Cambrian Academy art gallery on the right.

Te bach yng nghaffi Anna
Afternoon tea in Anna's Tea Rooms

Ceiniogau'n newid dwylo
Inside a busy shop

67

Pwffian brenhinol ar y Cob – trên y jiwbili aur, Stainer's Pacific 6233 Duchess of Sutherland, yn tynnu trên y goron drwy ogledd Cymru, gyda chastell Conwy yn y cefndir, 11eg Mehefin, 2002.
Royal Train on the Cob – Golden Jubilee train, Stainer's Pacific 6233 Duchess of Sutherland heading the Royal Train through northern Wales, with Conwy castle in the background, 11th. June 2002.

Sgota o Ben Sarn
Angling by Pen Sarn

Trên rhif 1700 Duke of Gloucester, ar ei daith drwy Gonwy. Lluniodd Robert Stephenson, adeiladydd y rheilffordd, fwa pigfain yma wrth ailadeiladu mur y dref.
No. 1700 Duke of Gloucester, passing through Conwy. Robert Stephenson, the builder of the railway, reconstructed the town wall here with a pointed arch.

Trên y goron yng Nghyffordd Llandudno.
The royal train at Llandudno Junction.

69

Milwr mewn arfwisg a saethwr Normanaidd ger siop ym Mhlas y Faerdref, Sgwâr y Castell.
Knights Gone By, with 'Bob', a knight in armour, and 'Norman', an archer, at Plas Vardre, Castle Square.

Sgota o'r Cob
Fishing from the Cob

Gardd liwgar yn
y dref
*A colourful town
garden*

Gwyliau/Festivals

Bydd dipyn o godi hwyl mewn gwahanol wyliau yn y dref drwy'r haf – Gŵyl y Dawnswyr Morris, Bluegrass a Gŵyl yr Afon. Bydd CADW yn trefnu digwyddiadau eraill yn y Castell.

Sefydlodd Dawnswyr Morris yng Nghonwy dros chwarter canrif yn ôl a byddant yn cynnal gŵyl benwythnos yma bob Mehefin gyda nifer o grwpiau dawnsio yn tyrru yma o bob rhan o Gymru a Lloegr.

Through the summer there are a number of festivals and events including the Morris dancers, Bluegrass and River Festivals. Other events in the Castle are run by Cadw, Welsh Heritage. Morris dancers established in Conwy over 25 years ago and they host a special week-end in the town each June, for visiting Morris Dance groups who come from many parts of Wales and England.

Dawnswyr Morris Conwy
Conwy Morris Dancers

Cerddorion
Musicians

71

Y tu allan i'r Liverpool Arms, Mossley Rose a'r Clocswyr.
Outside Liverpool Arms, Mossley Rose and Clog Dancers.

Dawnswyr sir Ddinbych ar y sgwâr.
On the square: Clerical Error of Denbighshire.

Gwylio'r dawnswyr wrth droed colofn Llywelyn.
Watching the dancers, from Llywelyn's statue.

Dawnswyr Morris Chorlton Green ar y sgwâr.
On the square – Chorlton Green Morris Dancers.

Dawnswraig ifanc yn disgwyl ei thro
A young dancer waiting her turn.

Gŵyl Bluegrass Gogledd Cymru,
Parc Bodlondeb bob Gorffennaf
*The North Wales Bluegrass
festival held in
Bodlondeb Park each July*

Yeehaw Junction

Yeehaw Junction

Shirley, Stained Glass.

75

Dulaman

Bonzo & banjo

Just Friends

Lorraine & Pete, Splinter

O Wlad Tsiec
From Czech Republic
– New Section

Pencampwr banjo'r byd o Winfield, UDA 2002
John Dowling – The world banjo champion, Winfield, USA 2002.

77

Dawnswyr o'r Appalachia ar y Cei
Appalachian dancing on the Quay, "One Step Beyond"

Dawnswyr o'r Appalachia ar y Sgwâr
Appalachian dancing on the Square, "Raise the Dust"

78

Gŵyl yr Afon
River festival

Yng nghanol yr haf, bydd Conwy yn dathlu ei
threftadaeth forwrol gydag wythnos o ŵyl
cychod hwyliau.
*Held mid summer, a celebration of
sailing and fun, this is Conwy's biggest sailing
week of the year.*

Fferi harbwr Conwy
Conwy harbour ferry

79

Tynfad oedrannus wrth angor yn yr aber.
An old tug moored in the estuary.

Rhawio glo ar y Kerne.
Shovelling coal onto the Kerne.

Daeth y Kerne i Gonwy o'r Albert Doc, Lerpwl am wythnos yn 2003. Fe'i hadeiladwyd gan gwmni llongau Montrose yn 1913.
Tynfad y llynges oedd hi yn wreiddiol, yn gweithio yn nociau Chatham.
The Kerne – it came especially for the week in 2003 from Liverpool's Albert Dock. Built in 1913 by Montrose Shipbuilding Co, it was
originally a naval tug working in Chatham dockyard.

Y Kerne yn barod i hwylio.
The Kerne ready to sail.

82

Y Kerne yn gadael Conwy gyda chwch awdurdod yr harbwr yn dangos y llwybr iddi drwy wlâu mwd yr aber.
The Kerne leaving Conwy with the harbour authority boat leading the way.

Cerddorion yn codi hwyl adeg Gŵyl yr Afon.
Musicians playing during the River Festival.

Stondin ar y Cei, Gŵyl yr Afon
Stall on the quay at Conwy River Festival.

Promenâd liwgar o longau – bydd yr olygfa drawiadol hon i'w gweld ar ddiwrnod olaf Gŵyl yr Afon.
Parade of sail. This is a wonderful sight and takes place on the last day of the River Festival.

Jazz ar y Cei – adar y nos yn taro cân.
Jazz on the Quay – late night band.

85

Chwaraeon/*Sport*

Mae'r llain fowlio ym Mhen Sarn a'r llain griced ym
Modlondeb yn tynnu pobl drwy fisoedd yr haf.
Crown green bowls at Pen Sarn and cricket at Bodlondeb are
popular through the summer months.

Bywyd y Dref
Local Life

Ysgol Porth y Felin — mae'r ysgol gynradd newydd yn rhoi fflach o goch a
glas i'r boreau yn y Gyffin.
*Ysgol Porth y Felin, the new primary school adds a splash of red and blue to
the morning in the Gyffin valley.*

Hydref
Autumn

Ffair Fêl
Honey Fair

Mae Ffair Fêl Conwy yn hynafol a phoblogaidd. Fe'i cynhelir ar 13eg Medi yn flynyddol.
Daw'r gwenynwyr lleol – a rhai o bell weithiau – â'u mêl a'u cŵyr i'r stondinau ar y Stryd Fawr a Sgwâr y Farchnad. Atodiad difyr i hynny yw'r stondinau crefft, hen greiriau a chynnyrch lleol at achosion da.

One of Conwy's ancient fairs, this popular event takes place on the 13th September each year.
The local and not so local beekeepers bring their honey and beeswax products to the High Street, and Lancaster Square. This is then augmented by craft, antique and charity stalls.

Sgwâr y Farchnad adeg Ffair Fêl Conwy. Cyflwynwyd y siarter i'r masnachwyr yn nwyddau Edward I.
Lancaster Square, Conwy. Honey Fair. The charter was granted to the traders by Edward I.

Swyddfa'r Heddlu y tu ôl i colofn
Llywelyn ar Sgwâr y Farchnad.
*Lancaster Square with the Police Station
behind Llywelyn's statue.*

Tŷ Mêl
Honey House

Mêl o Fôn
Ynys Môn honey

Cerddor stryd yn y Ffair Fêl
Honey Fair Busker

93

Gwledd Conwy *Feast*

Digwyddiad newydd yn dathlu bwyd a diod o fewn
muriau tref Conwy.
*A new event, celebrating food and drink in the medieval
walled town of Conwy.*

Arddangosfa goginio
Cookery demonstration

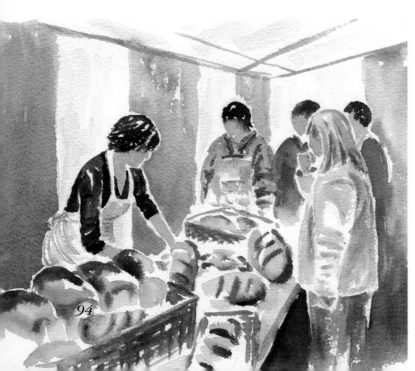

Stondin fara
Bread stall

94

Arddangosfa hanes bwyd
History of food display and demonstration

Lliwiau'r Hydref
Autumn Colours

Wrth i lesni'r haf droi'n felyn yr hydref, bydd rhyw deimlad meddal, araf yn disgyn dros y dref a'r fro. *As the trees change from greens to autumn colours, the town and surrounding area take on a mellow feel.*

Amlinell dywyll castell Conwy o Lan Conwy.
Silhouette of Conwy castle from Glan Conwy.

96

Mynydd y Dref – a'r graig boblogaidd ymysg ieuenctid y dref sy'n derbyn yr her o'i dringo.
Conwy mountain with the popular rock many a young climber has enjoyed tackling.

Stêm yn codi o'r cledrau dan Benarth.
Steam below Benarth.

98

Defaid y dyffryn yn nhawch bore clir o hydref.
Sheep in the valley on a misty early autumnal day.

Awyr hydref o'r Cob. Mae Parc Bodlondeb ar y chwith, Deganwy ar y dde.
Autumn sky from the Cob Parc Bodlondeb on the left and Deganwy on the right.

Tua chastell Conwy o Hen Harbwr Deganwy, safle'r marina newydd.
Towards Conwy Castle from Deganwy Old Harbour, site of the new Marina.

Muriau'r dref o Fryn Castell
Town walls from Bryn Castell

Gaeaf ar ein gwarthaf
Winter is a coming

Tynnir llawer o'r cychod o'r dŵr dros y gaeaf er mwyn rhoi sylw i waith adfer ac atgyweirio.
Many of the boats are taken out of the water for winter, for repairs and maintenance.

Trwsio'r cychod
Mending boats

Codi'r cychod i'r lan
Lifting the boat

O Stryd i Stryd
Street scenes

Hen Swyddfa'r Post ar ben ucha'r Stryd Fawr cyn iddo gael ei ail-leoli ar Ffordd Bangor.
The Old Post Office at the top of the High Street before it was relocated to Bangor Road.

Bywyd yn y café – coffi boreol ym Morfa Bach.
Café culture: autumn coffee at Morfa Bach.

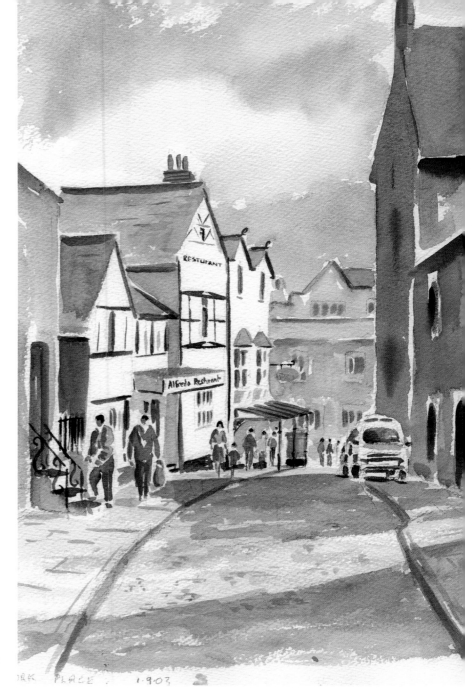

Llecyn Efrog, gan edrych tua'r Stryd Fawr
gyda swyddfa'r heddlu ar y dde.
*York Place, looking towards the High Street with
the police station on the right.*

104

Gaeaf
Winter

106

Pysgotwyr Cregyn Gleision
The mussel men

Dyma'r diwydiant hynaf yng Nghonwy. Roedd yr afon yn
enwog am ei chregyn perlau yn ôl yn nyddiau'r Rhufeiniaid.
Y gaeaf yw prif dymor y cynhaeaf cregyn – bydd y pys-
gotwyr yn defnyddio'u cribinau arbennig i godi'r cregyn
gleision o wlâu'r foryd, eu golchi ac yna'n mynd â nhw i'w
puro mewn gwaith arbennig ar y cei. Mae'r diwydiant yn
dyddio'n ôl i gyfnod myneich Abaty Aberconwy yn yr
Oesoedd Canol. Heddiw, mae galw mawr am gynnyrch
Conwy drwy Ewrop benbaladr.
*This is the oldest industry in Conwy. The river was famous for
its mussels back in Roman times. Working through the winter
months and using their specialist rakes, the mussel men take
the mussels from their beds in the estuary, wash them on the
rig and then purify them in the small plant on the Quay. This
food industry, which goes back to the Middle Ages, was start-
ed by the monks of Conwy Abbey. Today Conwy's mussels are
in demand far and wide.*

Gwaith puro cregyn gleision Conwy
Conwy mussel purifying plant

Paratoi i forio yn yr aber
Preparing to sail to the estuary

Cribinio'r gwlâu cregyn
Raking the mussel beds

Dychwelyd o'r gwlâu cregyn gan basio Deganwy
a chanolfan grym Cymreig Maelgwn Gwynedd ar
y Faerdref.
*Returning from the mussel beds, passing Deganwy
and Maelgwn's Welsh stronghold on the Vardre.*

Golchi'r cregyn ar y rig
Washing the mussels on the rig

Conwy dan eira
Conwy in the snow

Ychydig o eira a gaiff Conwy oherwydd cusan gynnes Ffrwd y Gwlff ar hyd y glannau hyn. Mae hynny'n gwneud pob cawod eira yn ddydd gŵyl a bydd pawb allan yn mwynhau eu hunain. Bydd gofal y bugeiliaid yn drymach, wrth gwrs, gan fod angen mwy o borthiant ar y praidd.
There are few days of snow in Conwy because of the warm Gulf Stream. This means that when it does snow everybody insists on enjoying themselves. The sheep of course need extra fodder.

Gaeaf a Gwlad y Tylwyth Teg
Winter wonderland

Ar sled i lawr Bryn Bychan
Sledging on Bryn Bychan

Miri eira
Having fun

111

Tros afon Conwy tua Thal-y-fan ar ddiwrnod
rhynllyd o aeaf.
Across the Conwy towards
Tal-y-fan on a cold winter's day.

Defaid yn pori'n ddiogel.
Sheep may safely graze.

Bore o farrug ar Benarth.
A cold frosty morning on Benarth.

O gwmpas y dref
In and around the town

Tref hinon haf yw Conwy i lawer o ymwelwyr, ond mae'n dref y pedwar tymor i'r rhai sy'n byw ynddi. Mae siopau'r Stryd Fawr dal yn agored ac mae'r gwaith cynnal a chadw yn mynd rhagddo ar ôl i'r ymwelwyr gilio.

For many Conwy is a summer resort, but for locals it's their town throughout the year. The town shops of the High Street, and repair and restoration work go on after the tourists have gone home.

Yr hen ffatri ganhwyllau ger afon Gyffin.
Hugh Williams oedd y perchennog olaf ond mae wedi cau bellach ers bron i ganrif.
The old candle factory situated beside the Gyffin stream. The last owner Hugh Williams ceased
production nearly 100 years ago in the valley.

Meddygfa Gyffin. Troswyd yr hen gapel yn feddygfa erbyn hyn.
Meddygfa Gyffin. The old chapel in Gyffin has recently been converted to a doctor's surgery.

Talwrn ceiliogod crwn a phrin o'r 18fed ganrif yn dal i sefyll ger Sgwâr y Farchnad. Fe'i codwyd ar gyfer y teithwyr ar eu ffordd i Iwerddon fel y gallent fwynhau adloniant Llundain yng Nghymru.
A rare 18th century circular cockpit in its original location off Lancaster Square. It was built for travellers to Ireland so they could enjoy London entertainment in Wales.

Gweithio ar y muriau: mae gofal CADW yn parhau. O dro i dro, bydd hen goed ffr-wythau yn cael eu tocio yng ngerddi'r hen goleg yn Stryd y Porth Uchaf.
Working on the walls: CADW's ongoing maintenance.
Occasionally old fruit trees are pruned in the garden of the former college, Upper Gate Street.

Gweithio ar waliau hen Lys Llywelyn ger Ysgol Porth y Felin.
Working on the walls of the old Llys Llywelyn near Ysgol Porth y Felin.

Y Stryd Fawr – prysurdeb bore Llun
High Street – busy Monday morning

Y Stryd Fawr – llygadu'r basgedi
High Street, – browsing in the baskets.

117

Cwt y Bad Achub a swyddfa'r Harbwrfeistr gyda Rhesdai Tŷ'r Tollwyr y tu ôl iddynt.
Lifeboat station, and Harbour Master's office, beyond which is Custom House Terrace.

118

The old cradle

Hen grud cychod.
Old boat cradle.

Hen angor ar y cei. Codwyd hwn yn rhwydi'r cwch pysgota, Kilravock, ac fe'i cyflwynwyd i'r dref gan y capten, Jack Williams MBE, un o feiri Conwy.
Old anchor on the quay. This was caught in the net of the trawler Kilravock and presented to the town by the skipper Jack Williams MBE, a mayor of Conwy.

Mae olion hen lanfa i'w gweld ger wal ystlys yr harbwr.
The old landing stage, remains of which can be seen by the wing wall in the harbour.

Tyrchwyr sbwriel y Cei
Scavengers

119

Mynd â'r ci am dro, traeth Morfa.
Walking the dog, Morfa beach.

Harbwr gwaith
Working harbour

Yr adeg hon o'r flwyddyn, gwneir llawer o waith adfer ac adnewyddu yn yr harbwr.
This is the time of year when much of the repair and renewal work goes on in the harbour.

Hen long garthu
The old dredger

Glanhau'r llong garthu
Cleaning the dredger

Crafu'r llygredd
Anti-fouling

122

Cadwyni'r harbwr.
Llwytho'r cwch gyda chadwyni a blociau concrid ar gyfer angorfeydd
yn afon Conwy.

Harbour chains.
Loading up the boat with chains and concrete blocks for moorings in
the river Conwy.

Yr Ogmore, marina'r Morfa
The Ogmore in the new Morfa marina

123

Yr Ogmore. Mae marina'r Morfa yn ddatblygiad diweddar yn ardal Conwy ac o dro i dro rhaid carthu'r mwd o'i waelodion. Daw'r llong garthu hon o Heysham, swydd Gaerhirfryn ac mae'n cario'r llaid o'r tywod allan i'r môr y tu draw i Ynys Seiriol.
The Ogmore. Morfa marina is a new addition to Conwy and occasionally needs to be dredged. This dredger comes from Heysham, Lancashire and takes the mud and sand out beyond Puffin Island.

Marina Conwy a adeiladwyd yn sgil creu Twnnel Conwy, 1991.
Conwy Marina which was built in the wake of the Conwy Tunnel development in 1991.

Mae Keith yn gwerthu pysgod ar y Cei ers 40 mlynedd
– ac yn gwneud hynny gydol y flwyddyn.
Keith the Fish, established for over 40 years, sells fish on the Quay throughout the year.

125

Prynu pysgod o stondin Keith
Buying fish from Keith's stall

Cwch awdurdod yr harbwr
Harbour authority boat

Gŵr y fferi'n gwasanaeth cyson i bobl y cychod hwyliau.
The ferryman, a regular service for yachtsmen.

Dathlu'r Nadolig
Christmas celebrations

Daw llawer o bobl y gogledd a thu hwnt i ddathlu'r Nadolig yng Nghonwy ac i weld y canu, y tân gwyllt a Siôn Corn ar furiau'r dref.
Many people in north Wales and beyond attend these celebrations with singing, and fireworks and Father Christmas on the Castle walls.

Canu o gwmpas y goeden, Sgwâr y Farchnad.
Singing around the tree, Lancaster Square.

Tân gwyllt yn yn y castell.
Castle fireworks.

127

Elizabeth Myfanwy Clough
128

Eirlys – codi'r llen ar Flwyddyn Newydd.
Snowdrops - into the New Year.